Chin Lin Sou

Un líder chinoamericano

Chin Lin Sou

Un líder chinoamericano

por Janet L. Taggart

Filter Press, LLC
Palmer Lake, Colorado

Chin Lin Sou

por Janet Taggert

A mi familia por su apoyo, y a los estudiantes de la Academia Place Bridge por inspirarme a escribir sobre el camino al éxito de un recién llegado a Colorado y los Estados Unidos.

ISBN: 978-0-86541-155-5
LCCN: 2013946932

Producido con el apoyo de la organización Colorado Humanities y el fondo National Endowment for the Humanities. Las opiniones, hallazgos, conclusiones o recomendaciones expresadas en la presente publicación no necesariamente representan los de la organización Colorado Humanities o los del fondo National Endowment for the Humanities.

Foto de portada cortesía del centro History Colorado, 10028088

Impreso en los Estados Unidos de América

Publicado por Filter Press, LLC, en cooperación con las Escuelas Públicas de Denver y la organización Colorado Humanities.

Grandes vidas de la historia de Colorado

Augusta Tabor por Diane Major
Barney Ford por Jamie Trumbull
Benjamin Lindsey por Gretchen Allgeier
Bill Hosokawa por Steve Walsh
Charles Boettcher por Grace Zirkelbach
Chief Ouray por Steve Walsh
Chin Lin Sou por Janet Taggert
Clara Brown por Suzanne Frachetti
Doc Susie por Penny Cunningham
Elbridge Gerry por Jennifer L. Buck
Emily Griffith por Emily C. Post
Enos Mills por Steve Walsh
Fannie Mae Duncan por Angela Dire
Felipe and Dolores Baca por E. E. Duncan
Florence Sabin por Stacey Simmons
Frances Wisebart Jacobs por Martha Biery
Hazel Schmoll por Penny Cunningham
Helen Hunt Jackson por E. E. Duncan
Kate Slaughterback por Lindsay McNatt
Katharine Lee Bates por Monique Cooper-Sload
John Dyer por Jane A. Eaton
John Routt por Rhonda Rau
John Wesley Powell por Suzanne Curtis
Josephine Aspinwall Roche por Martha Biery
Justina Ford por K. A. Anadiotis
Little Raven por Cat DeRose
Otto Mears por Grace Zirkelbach
Ralph Carr por E. E. Duncan
Richard Russell por Christine Winn
Robert Speer por Stacy Turnbull
Rodolfo "Corky" Gonzales por Jorge-Ayn Riley
William Bent por Cheryl Beckwith
Zebulon Montgomery Pike por Steve Walsh

Contenido

Cortesía del centro History Colorado, 10028088

Chin Lin Sou nació en China en 1836 y falleció en Denver en 1894.

Introducción

Imagina dejar tu casa, tu familia y tus amigos y viajar miles de millas para ir a vivir a otro país. Las personas de este país hablan otro idioma y se visten diferente. La comida es distinta. Imagínate estar solo en este lugar nuevo. Esto es precisamente lo que hizo Chin Lin Sou.

En 1859, Chin Lin Sou dejó su casa en Cantón (Guangzhou), China, para venir a los Estados Unidos de América. Tenía veintidós años. Hablaba chino y aprendió a hablar inglés. Ayudó a construir vías férreas a través de elevadas montañas. Trabajó en las minas de oro de Colorado. También fue un empresario exitoso y ayudó a otros chinos a venir a los Estados Unidos y a encontrar trabajo. Fue un líder de la comunidad china en Colorado y Denver.

La construcción de vías férreas

En 1850, venían muchos chinos a los Estados Unidos. Lo hacían por muchas razones. Algunos querían escapar de las guerras en China; otros no encontraban trabajo. Había muchas personas pobres y hambrientas. Algunos venían porque habían escuchado que se había descubierto oro en California.

Chin Lin Sou cruzó el océano Pacífico hasta San Francisco en un barco atestado de gente. El viaje fue difícil. Cruzar el océano tomó dos meses. La comida no era buena y era difícil encontrar agua que se pudiera tomar sin correr riesgos. En California, Chin Lin Sou y los otros **inmigrantes** chinos necesitaban encontrar trabajo. Muchos encontraron trabajo en la construcción de la **línea ferroviaria transcontinental**.

Cuando Chin Lin Sou vino a los Estados Unidos en 1859, atravesar el país tomaba entre cinco y seis meses y era caro. El costo para llegar de una costa a la otra era de mil dólares. El gobierno de los Estados Unidos quería que el viajar fuera más fácil y rápido. Decidieron contratar dos compañías para construir una vía férrea que atravesara el país. La compañía ferroviaria Union Pacific Railroad comenzó a hacerlo desde el este y la compañía Central Pacific desde el oeste. Construir mil 700 millas de vías férreas a lo largo del país iba a ser un trabajo enorme. Se necesitarían miles de obreros. Las vías férreas del oeste pasarían por encima de los altos picos de las montañas de Sierra Nevada. La compañía ferroviaria decidió emplear a hombres chinos que buscaban trabajo. Cuando la construcción de la vía férrea terminó, el viaje a través del país tomaba cinco días y costaba 150 dólares.

Chin Lin Sou trabajó en la línea ferroviaria transcontinental. La compañía Central Pacific

Cortesía de la Biblioteca DPL, Colección de Historia Occidental, Z-3335

Los trabajadores chinos de la vía férrea y su supervisor blanco trabajando en la línea ferroviaria Union Pacific. La compañía Union Pacific construyó vías férreas desde Nebraska hacia el oeste para la línea ferroviaria transcontinental.

lo contrató para que fuera el jefe de muchos **peones** chinos. Medía más de seis pies de altura. La mayoría de los hombres de esa época eran mucho más bajos y, por lo general, los hombres chinos eran incluso más bajos que los blancos. Tenía los ojos color azul grisáceo. Por lo general, los chinos tienen ojos oscuros. La altura y el color de los ojos de Chin Lin Sou hacían que llamara la atención. La gente también se fijaba en el hecho de que él podía hablar chino e inglés. Los jefes le decían a Chin Lin Sou en inglés lo que los trabajadores chinos debían hacer y, luego, él se lo transmitía a los peones en chino.

Estos trabajaban duro. En ocasiones, usaban martillos y hachas para romper las rocas de las montañas y sacaban la tierra y las rocas en cestas. Otras veces, los chinos usaban dinamita para partir en pedazos la roca. Imagina esto: los trabajadores ponían a un hombre en una cesta y lo bajaban con sogas por la ladera de una montaña. Luego, el hombre perforaba un hoyo en la roca con su martillo, colocaba dinamita dentro de este, la encendía y enseguida gritaba: "¡Súbanme!" Tenía que salir de allí antes de que explotara la dinamita. Esto se hacía varias veces para romper la roca. Luego de la explosión, los trabajadores sacaban las rocas y construían vías férreas en terreno llano. En invierno, Chin Lin Sou y sus hombres trabajaban en túneles cubiertos por la nieve que se acumulaba con las en ventisqueros grandes. También vivían en estos túneles.

Cortesía del centro History Colorado, 10026459

La caja de esclusa se utilizaba para el dragado de aluviones y tenía un escotillón para dejar correr la tierra y el agua.

Trabajaban doce horas al día durante todo el año. La compañía ferroviaria les pagaba alrededor de 30 dólares al mes a los chinos, quienes tenían que comprar la comida y las carpas por su cuenta. Esta remuneración era inferior a la que ganaban los hombres blancos, a quienes la compañía ferroviaria, además, les pagaba la comida y las carpas. Aun así, los chinos ahorraban y podía enviar algo de dinero a sus familias en China.

Chin Lin Sou y los peones chinos ayudaron a terminar la vía ferroviaria transcontinental. Los **historiadores** dicen que nunca se podría haber construido sin su trabajo. En 1869, cuando las vías férreas del este se unieron con las del oeste en Utah, la línea ferroviaria quedó terminada. Chin Lin Sou necesitaba otro trabajo. Vino a Colorado y ayudó a construir las vías que conectaban las líneas ferroviarias de Colorado con la transcontinental en Wyoming. Esta fue la última vez que trabajó en la construcción de vías férreas.

El trabajo en las minas

En 1859, los **mineros** encontraron oro en las montañas de Colorado. Los propietarios necesitaban trabajadores que sacaran el oro de las rocas de las montañas, ríos y arroyos. En 1870, los legisladores y mineros de Colorado les pidieron a los chinos que se quedaran y que trabajaran para el estado. La gente sabía acerca de su trabajo en las vías férreas. Los chinos trabajaban duro. Además lo hacían por menos dinero que los blancos. Chin Lin Sou decidió quedarse en Colorado. Los propietarios de minas lo nombraron jefe de los trabajadores en las minas de oro. Chin Lin Sou trajo más trabajadores chinos a Colorado. Llegó a liderar a hasta 300 mineros.

Chin Lin Sou y los peones trabajaban en una **mina de placeres** diez horas al día, seis días a la semana, y entre seis y diez horas los domingos. A los chinos eran contratados

Cortesía del centro History Colorado, 10028086

Dos mineros trabajan en una mina de placeres. Observa cómo está vestido el minero chino de la izquierda. ¿En qué se diferencia del otro minero?

para sacar el oro de los arroyos. La **erosión** hacía que el oro de las montañas se quebrara en trozos pequeños que eran arrastrados por ríos y arroyos. El oro mezclado con la arena y la tierra se depositaba en el fondo de las corrientes. Para encontrar oro, los chinos paleaban tierra y agua a las cajas de esclusas.

Un escotillón dejaba que pasara el agua y la tierra, pero el oro pesado quedaba en el fondo de la caja.

Los mineros chinos trabajaban en el agua fría con palas y cubetas buscando oro en los arroyos de las montañas para los propietarios de las minas. Ganaban alrededor de 40 dólares al mes por este arduo trabajo. Los peones traían su propia comida y pagaban por el lugar donde vivían. Los mineros blancos

Cortesía de la Biblioteca DPL, Colección de Historia Occidental, X-21660

Chinos fotografiados en el pueblo minero de Georgetown, Colorado, en algún momento entre 1890 y 1910. ¿Por qué crees que no hay mujeres en la foto?

ganaban más dinero y no tenían que pagar ni por la comida ni por el alojamiento.

Algunos mineros blancos no se llevaban bien con los mineros chinos, tal vez porque estos tenían un aspecto diferente. Sus ojos tenían una forma distinta y el color de la piel no era igual a la de los blancos. Los chinos se peinaban con trenzas que colgaban en su espalda y se vestían con el mismo tipo de ropa todo el año. Usaban pantalones anchos de algodón, camisas largas con presillas abotonadas y sombreros grandes con forma de paraguas. La mayoría no hablaba inglés. Vivían juntos en una misma zona en los pueblos mineros. Pocos mineros chinos tenían familia en los Estados Unidos. Muchos querían ahorrar dinero y volver a China. Los mineros chinos solo compraban provisiones que no costaran mucho dinero. La mayoría de las provisiones provenían de su país. Los propietarios estadounidenses de las tiendas de los pueblos mineros querían que los chinos les compraran a ellos. Las personas blancas los insultaban y muchas veces les robaban. Algunos blancos incluso les cortaban las trenzas o los golpeaban.

Chin Lin Sou hizo mucho para llevarse bien con los mineros blancos. Hablaba bien inglés y se vestía como los mineros blancos. Utilizó sus vínculos de amistad con los blancos para asegurarse de que los mineros chinos fueran tratados con igualdad.

Chin Lin Sou y los mineros chinos no podían ser propietarios de minas, pero las podían **arrendar**. Les pagaban a los propietarios para poder explotar las minas y quedarse con el oro que encontraran para venderlo. Chin Lin Sou arrendó varias minas y contrató peones chinos. Cuando encontraba oro, ganaba dinero y arrendaba más minas.

El líder de la comunidad

Chin Lin Sou utilizó el dinero que había ganado para traer a su esposa de China a Colorado y emprender un negocio en Denver. Vendía provisiones procedentes de China a los inmigrantes chinos de Colorado.

En China, la gente vivía en aldeas o pequeños centros poblados de agricultores. La familia era muy importante para ellos. Las personas más destacadas en los pueblos eran los **eruditos** y los propietarios de extensiones de tierras. Estas personas importantes eran como padres para los otros habitantes del pueblo. Protegían a las personas, las ayudaban a encontrar trabajo y las cuidaban cuando estaban enfermas.

Los chinos en Estados Unidos no tenían a sus familias o a los líderes de las aldeas para que los protegieran. Chin Lin Sou tenía comercios y dinero y hablaba inglés.

Se convirtió en un líder de la comunidad china de Colorado. Otros chinos que tenían establecimientos comerciales prósperos también se convirtieron en líderes de los chinos en otras partes de los Estados Unidos.

Los líderes chinos iniciaron grupos denominados "compañías" para cuidar a los inmigrantes. Estas compañías comenzaron en San Francisco y luego se expandieron a las comunidades chinas mineras y ferroviarias en todo el país. Las compañías ayudaban a los peones chinos a encontrar trabajo y los defendían para que recibieran un trato justo. Chin Lin Sou formaba parte de una de estas compañías.

Los chinos vivían en barrios llamados "Chinatown". Denver tenía uno de los vecindarios chinos más grandes de los Estados Unidos en la época en que Chin Lin Sou vivía allí. Este colaboró con las compañías en California para que ayudaran a los chinos de Colorado y de todo el país. A Chin Lin Sou se

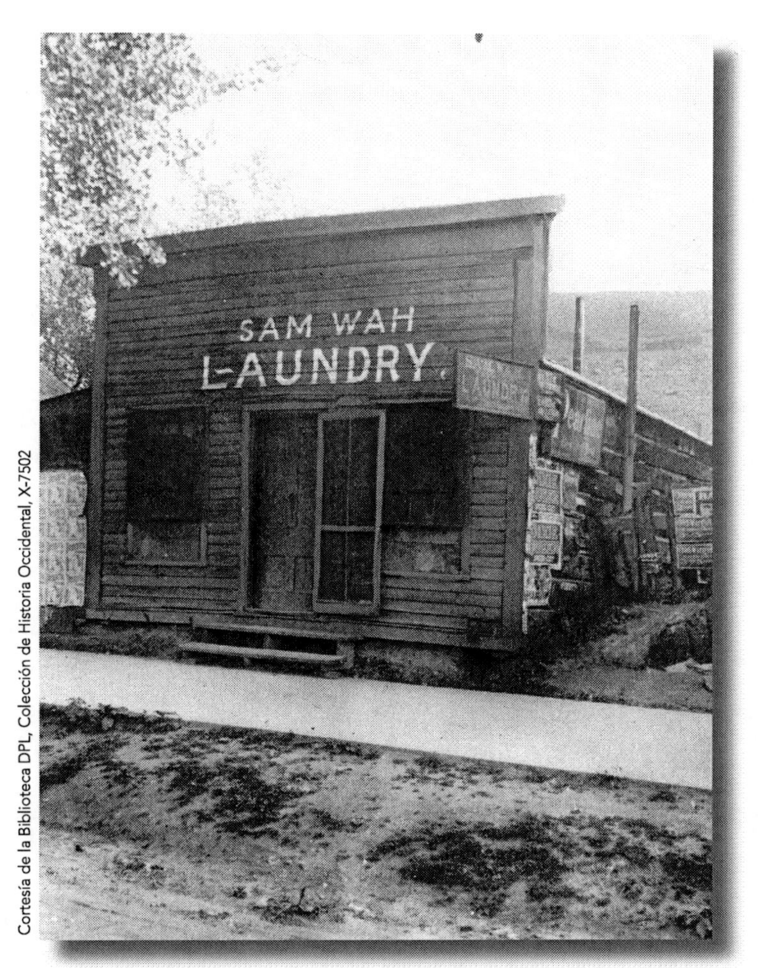

Cortesía de la Biblioteca DPL, Colección de Historia Occidental, X-7502

A los inmigrantes chinos no se les permitía ser propietarios de muchos establecimientos comerciales, sino que se les permitía dirigir lavanderías, como esta en Colorado City.

le consideraba el alcalde de Chinatown.

Era un hombre honesto y los hombres blancos lo sabían. Una vez, un incendio en Central City destruyó muchas construcciones. Los blancos decían que los mineros chinos lo habían iniciado. Chin Lin Sou sabía que esto no era cierto. Le dijo al periódico que los mineros chinos no habían comenzado el incendio. Los hombres blancos respetaban a Chin Lin Sou, de modo que le creyeron cuando dijo que los mineros chinos no habían sido los responsables.

No todos los problemas de los chinos se resolvían con facilidad. Los estadounidenses blancos pensaban que los chinos les quitaban sus puestos de trabajo. Por otra parte, tampoco entendían su religión y les decían **infieles**. Estos malestares provocaron un **disturbio** en Denver en 1880. Comenzó una pelea entre hombres blancos y chinos en Chinatown. Miles de hombres blancos acudieron allí y rompieron ventanas y puertas, robaron las tiendas, sacaron a los chinos de sus casas y tiendas y los patearon y golpearon. Dos hombres mataron a un chino.

Muchas otras personas en los Estados Unidos **discriminaban** a los chinos. En 1882, el gobierno de los Estados Unidos creó una nueva ley, que decía que los chinos no podían ser **ciudadanos** estadounidenses y que no podían seguir ingresando al país. Chin Lin

Cortesía de la Biblioteca DPL, Colección de Historia Occidental, X-21496

Un cortejo fúnebre en el barrio chino de Denver fotografiado alrededor de la época en que Chin Lin Sou falleció. Es posible que su cortejo fúnebre haya lucido como este.

Sou era ciudadano estadounidense, pero esta ley le quitó la ciudadanía.

Muchos chinos volvieron a su país a reunirse con sus familias, pero Chin Lin Sou se quedó en Colorado. Vendía provisiones y administraba sus minas de oro. Trabajaba con los empresarios blancos e hizo amigos. Su éxito ayudó a los chinos en Colorado.

En 1894, Chin Lin Sou falleció. Muchas personas, tanto blancas como chinas, asistieron al cortejo fúnebre. Llevaban banderas de China y de los Estados Unidos.

Un hombre de familia

La mayoría de los hombres chinos en los Estados Unidos no tenían esposas ni hijos, sino que regresaban a China a casarse y tener familia. Chin Lin Sou era diferente. Fue el primero que tuvo una familia chinoestadounidense en Colorado. Luego de muchísimos años, de vivir separados, la esposa de Chin Lin Sou viajó de China a Colorado. En 1873, nació su hija, Lily. Fue la primera niña china nacida en Colorado. Chin Lin Sou y su esposa tuvieron cinco hijos más. Todos eran ciudadanos estadounidenses porque habían nacido en los Estados Unidos. Las leyes que les habían quitado la ciudadanía a los chinos que no habían nacido en el país no se aplicaban a los hijos de Chin Lin Sou.

Estos también se convirtieron en líderes de la comunidad china. Lily se casó en 1894. Su vestido de novia tenía adornos de oro de cinco

GRAND-DAUGHTER
RUTH CHIN

FAMILY OF CHIN LIN SOU and GRAND-CHILDREN.

49—ROCKY MOUNTAIN NEWS— Denver, Colo., Friday, May 8, 1953

Chinese Gave Much To Denver

By JACK FOSTER

AN ITEM in the paper a couple of days ago brought back memories of Chinese life during the early days of Colorado.

The item referred to **Pfc. William Jung Jr.**, who had just been commended for meritorious service while assigned to an artillery unit in Korea.

Pfc. Jung is the grandson of **Jimmy Chin**, who was known as "the mayor of Chinatown" when there were several hundred Chinese in Denver and life centered in what was called "Hop Alley" down on Market st.

It was a gaily lighted district then with little restaurants, shops where ivory and jade figures and other wonders of the Orient were sold, and tea houses with dragon lanterns.

The Chinese had come to Colorado to work largely in the mines and on the railroads. And Jimmy Chin's father, **Chin Lin-sou**, had followed the rails to Denver.

He was Cantonese by birth He was an enormous man — six feet two, with blue eyes, a rarity among the Cantonese.

* * *

CHIN LIN-SOU had been foreman of a crew that had completed the railroad link between the famous Truckee, Nev., and the coast before coming to Colorado to work the mines at Central City.

When the mines played out, with that versatile industriousness of the Chinese, he turned to farming and eventually he died following a sickness on his little plot at Platteville.

And "Mayor" Jimmy Chin became head of the House of Chin—a fact that is slyly accepted by his four pretty daughters, Esther, Ruth, Mamie and Mildred.

Thousands of Denver gourmets know Ruth, the ever-so-youthful looking mother of Pfc. William Jung. She shows diners to their steaming dishes of birds nest soup and shrimp with lobster sauce at the Lotus Room.

And thousands more know Esther, who is married to **Frank Fong**, the divinely inspired chef at the Lotus Room. In one of her slender Chinese gowns, which she has made in San Francisco, she translates the wishes of guests into a joyous hour of dining, while her mother, the matriarch, **Mrs. Chin**, peers out from behind the cash register.

It's a pity that most of the early Chinese in Colorado have left for San Francisco, Chicago and New York. For they made some of our finest citizens and most courteous neighbors.

* * *

Cortesía del centro History Colorado, 30001371

En 1953, el periódico Rocky Mountain News *utilizó una foto de los hijos y nietos de Chin Lin Sou en un artículo sobre los chinoestadounidenses en Colorado. El artículo dice: "Fueron unos de nuestros ciudadanos más respetados y de nuestros vecinos más corteses".*

dólares y llevaba un collar de pepitas de oro.

El gobernador Albert McIntire y el alcalde de Denver fueron a su boda. Luego de que su padre falleció, la nombraron la “Reina de Chinatown”.

Los hijos de Chin Lin Sou, James y William, también eran propietarios de establecimientos comerciales y se convirtieron en alcaldes de Chinatown en Denver. Dos de las nietas de Chin Lin Sou tuvieron restaurantes en Denver. Una de las bisnietas se convirtió en la primera mujer policía chinoestadounidense de Denver. Los nietos de Chin Lin Sou combatieron en la **Segunda Guerra Mundial**. Luego de la guerra, los chinos sufrieron un poco menos de discriminación. Se les permitió vivir fuera de los barrios chinos. Hoy en día, Coors Field, donde juega el equipo de béisbol Colorado Rockies, está ubicado donde una vez estuvo Chinatown en Denver. Los chinoestadounidenses, incluidos algunos de los **descendientes** de Chin Lin Sou, viven en distintos lugares de Colorado.

El legado de Chin Lin Sou

Los habitantes de Colorado no han olvidado a Chin Lin Sou. Su retrato en vitral cuelga en el **capitolio** del estado y su imagen se encuentra en un cuadro de los **pioneros** de Colorado en el Centro de Convenciones de Colorado en Denver. Un letrero cerca de los antiguos pueblos mineros de Central City y Black Hawk menciona a los chinos de Colorado y a su líder, Chin Lin Sou. Una butaca en la ópera de Central City lleva su nombre.

Chin Lin Sou fue parte importante de la historia de Colorado. Vino a los Estados Unidos desde China sin familia ni dinero. Era inteligente y trabajador y tuvo éxito. Colaboró en la construcción de líneas férreas que facilitaron los viajes e hicieron que los Estados Unidos siguieran creciendo. Encontró oro en las minas de Colorado. Fue propietario de establecimientos comerciales y les consiguió trabajo a los inmigrantes chinos que llegaban a los Estados Unidos. Le pedía a la gente que tratara bien a los chinos. Trabajaba con los estadounidenses blancos y estos lo respetaban. A pesar de que no era fácil ser estadounidense de origen chino en Colorado, Chin Lin Sou se quedó y construyó un hogar para su familia. Sus hijos se convirtieron en líderes de la comunidad chinoestadounidense. Hoy en día, sus descendientes forman parte de muchas comunidades de los Estados Unidos.

Preguntas para reflexionar

- Chin Lin Sou tuvo muchos trabajos. ¿Cuáles fueron? ¿Por qué tuvo éxito en lo que hizo?
- ¿En qué se parecía Chin Lin Sou a los demás inmigrantes chinos? ¿En qué se diferenciaba de ellos?
- ¿Qué cualidades de Chin Lin Sou lo convirtieron en líder?

Preguntas para los integrantes del programa Young Chautauqua

- ¿Por qué se me recuerda (o se me debería recordar) en la historia?
- ¿Qué dificultades enfrenté y cómo las superé?
- ¿Cuál es mi contexto histórico (qué otras cosas sucedían en mi época)?

Glosario

Arrendar: celebrar un contrato por el cual una persona se compromete a pagar alquiler para poder usar la propiedad de otra.

Capitolio: edificio donde se reúnen los legisladores.

Ciudadanos: personas que viven en una ciudad pueblo, estado o país y que tienen los derechos y la protección de ese lugar.

Descendientes: familias que guardan relación de parentesco con ciertas personas del pasado.

Discriminaban: trataban a otros injustamente debido a su raza o alguna otra cosa que no se puede cambiar.

Disturbio: gran número de personas que actúan con violencia.

Erosión: desgaste paulatino de la superficie terrestre por agentes externos, como el agua, el viento o el hielo.

Eruditos: personas cultas o con muy buena educación.

Historiadores: personas que estudian o escriben sobre historia.

Infieles: personas que no pertenecen a una religión ampliamente difundida, especialmente las que no son cristianas, judías o musulmanas.

Inmigrantes: personas que se van de un país para establecerse en otro.

Línea ferroviaria transcontinental: ruta ferroviaria que atraviesa los Estados Unidos. Su construcción, que estuvo a cargo de dos compañías ferroviarias, Union Pacific y Central Pacific, culminó en 1869. La mayoría de los peones de Central Pacific eran chinos.

Mina/Minería de placeres: forma de extraer oro y otros minerales de la tierra y las rocas mediante un sistema de lavado.

Mineros: personas que buscan y extraen minerales de la tierra, como oro o plata.

Peones: personas que llevan a cabo trabajos físicos fuertes a cambio de dinero.

Pioneros: personas de otros países o regiones que son las primeras en explorar o colonizar nuevas áreas.

Segunda Guerra Mundial: guerra que tuvo lugar entre 1939 y 1945. Los Estados Unidos, Gran Bretaña, Francia y la Unión Soviética lucharon contra Japón, Alemania e Italia.

Línea cronológica

1836
Chin Lin Sou nace en China.

1850
Llegan a China las noticias del descubrimiento de oro en California. Los chinos comienzan a emigrar a California.

1859
Chin Lin Sou abandona China rumbo a San Francisco.

1861
Colorado se convierte en territorio de los Estados Unidos.

1861–1865
Tiene lugar la Guerra Civil de los Estados Unidos.

1863
Comienza la construcción de la ruta ferroviaria transcontinental. Chin Lin Sou trabaja en la construcción de vías de California a Utah.

1869
Culmina la construcción de la línea ferroviaria transcontinental. Chin Lin Sou se muda a Denver.

Línea cronológica

A principios de 1870
Chin Lin Sou comienza a supervisar a los mineros chinos en Colorado. Su esposa viene de China.

1873
Nace su hija Lily. Fue la primera niña china nacida en Colorado.

1876
Colorado se convierte en el estado número 38.

A mediados de las décadas de 1870 y 1880
Chin Lin Sou arrienda minas y emprende negocios. Compra una casa en Chinatown, el barrio chino de Denver.

1880
Durante un disturbio contra los chinos de Denver se destruyen comercios chinos y varias personas resultan heridas.

1882
El gobierno de los Estados Unidos aprueba una ley que les quita los derechos a las personas chinas que viven en los Estados Unidos.

1894
Chin Lin Sou fallece en Denver.

Bibliografía

America's Byways: Peak to Peak. "Wayside Excursion: The Chinese in the West". Consulta del 10 de julio de 2012. http://www.rmpbs.org/byways/ptp_chinese.html.

Anton, Mike. "The Miners/Chin Lin Sou". *Rocky Mountain News,* 3 de enero de 1999. http://0-infoweb.newsbank.com.skyline.ucdenver. edu/iw-search/we/Info Web.

Barth, Gunther. *Bitter Strength: A History of Chinese in the United States, 1850–1870.* Cambridge, Massachusetts: Harvard University Press, 1964.

Biblioteca del Congreso. "The Chinese in California, 1850–1925". Consulta del 13 de julio de 2012. http://www.loc.gov/teachers/classroommaterials/connections/chinese-cal/history3.html.

Digital History. "Chinese Exclusion Act". Consulta del 10 de julio de 2012. http://www.digitalhistory.uh.edu.

Digital History. "Chinese Immigrants and the Building of the Transcontinental Railroad". Consulta del 10 de julio de 2012. http://www.digitalhistory.uh.edu/historyonline/china1.cfm.

Dirlik, Arif. *Chinese on the American Frontier.* Lanham, Maryland: Rowman and Littlefield Publishers Inc., 2001.

Jung, William. *Biography of Chin Lin Sou*. 1990. Colección de Chin Lin Sou (MSS #113), centro History Colorado, Denver.

Lai, H. Mark. *Becoming Chinese American: A History of Communities and Institutions.* Walnut Creek, California: AltaMira, 2004.

Melrose, Frances. "Chinese Leader Stood Tall in Colorado". *Rocky Mountain News*, 18 de abril de 1999. http://0-infoweb.newsbank.com.skyline.ucdenver.edu.

PBS: American Experience. "Workers of the Central Pacific Railroad". Consulta del 10 de julio de 2012. http:// www.pbs.org/wgbh/americanexperience/features/general-article/tcrr-cprr.

Tong, Benson. *The Chinese Americans.* Boulder: University Press of Colorado, 2003.

Toto, Christian. "Remembering When Denver Had a Chinatown". *Denver Post*, 7 de mayo de 2011. http://www.denverpost.com/insideandout/ci_18011216.

Wei, William. "History and Memory: The Story of Denver's Chinatown". *Colorado Heritage Magazine,* otoño de 2002.

Wishart, David J. "Sou, Chin Lin". *Encyclopedia of the Great Plains.* Consulta del 10 de julio de 2012. http://plainshumanities.unl.edu/encyclopedia/doc/egp.asam.020.

Índice

Acerca de esta serie

En 2008, la organización Colorado Humanities y el Departamento de Estudios Sociales de las Escuelas Públicas de Denver se asociaron a fin de implementar el programa Young Chautauqua de Colorado Humanities en las Escuelas Públicas de Denver y crear una serie de biografías sobre personajes históricos de Colorado, escritas por maestros para jóvenes lectores. El proyecto se denominó "Writing Biographies for Young People". Filter Press se sumó al proyecto en 2010 para publicar las biografías en una serie que se tituló "Grandes vidas en la historia de Colorado".

Los autores voluntarios, maestros de profesión, se comprometieron a investigar y escribir la biografía de un personaje histórico de su elección. Se informaron sobre el programa Young Chautauqua de Colorado Humanities a través de sus portavoces y participaron en un taller de cuatro días que incluyó el recorrido por tres importantes bibliotecas de Denver: el centro de investigación Stephen H. Hart Library and Research Center en el centro History Colorado, el Departamento de Genealogía e Historia Occidental de la biblioteca Denver Public Library y la biblioteca Blair-Caldwell African American Research Library. Para escribir las biografías, emplearon las mismas destrezas que se espera de los estudiantes: la identificación y localización de recursos confiables para la investigación, la documentación de dichos recursos y la elección de información adecuada a partir de ellos.

El resultado del esfuerzo de los maestros fue la publicación de trece biografías en 2011 y veinte en 2013. Al tener acceso a la colección curricular completa de las biografías elaboradas acorde a su edad, los estudiantes podrán leer e investigar por sus propios medios y aprender valiosas habilidades de escritura e investigación a temprana edad.

Con la lectura de cada biografía, los estudiantes adquirirán conocimientos y aprenderán a valorar las luchas y vicisitudes que superaron nuestros antepasados, la época en la que vivieron y por qué deben ser recordados en la historia.

El conocimiento es poder. Las biografías de la serie "Grandes vidas en la historia de Colorado" ayudarán a que los estudiantes de Colorado descubran lo emocionante que es aprender historia a través de las vidas de sus héroes.

Se puede obtener información sobre la serie a través de cualquiera de los tres socios:

Filter Press en www.FilterPressBooks.com
Colorado Humanities en www.ColoradoHumanities.org
Escuelas Públicas de Denver en curriculum.dpsk12.org/

Reconocimientos

La organización Colorado Humanities y las Escuelas Públicas de Denver agradecen a las numerosas personas que contribuyeron con la serie "Grandes vidas en la historia de Colorado". Entre ellas se encuentran:

Los maestros que aceptaron el desafío de escribir las biografías.

Dra. Jeanne Abrams, directora de la sociedad histórica judía Rocky Mountain Jewish Historical Society, y Frances Wisebart Jacobs, experta.

Paul Andrews y Nancy Humphry, Felipe y Dolores Baca, expertos.

Dra. Anne Bell, directora del programji a Teaching with Primary Sources, University of Northern Colorado.

Analía Bernardi, traductora bilingüe, Escuelas Públicas de Denver.

Mary Jane Bradbury, portavoz Chautauqua de la organización Colorado Humanities, y Augusta Tabor, experta.

Joel' Bradley, coordinador de proyectos, Escuelas Públicas de Denver.

Sue Breeze, portavoz Chautauqua de la organización Colorado Humanities, y Katharine Lee Bates, experta.

Betty Jo Brenner, coordinadora de programas, organización Colorado Humanities.

Tim Brenner, editor.

Margaret Coval, directora ejecutiva, organización Colorado Humanities.

Michelle Delgado, coordinadora de Estudios Sociales de Enseñanza Primaria, Escuelas Públicas de Denver.

Jennifer Dewey, bibliotecaria de consulta, biblioteca Denver Public Library, Departamento de Genealogía e Historia Occidental.

Jen Dibbern y Laura Ruttum Senturia, biblioteca y centro de investigación Stephen H. Hart Library and Research Center, centro History Colorado.

Coi Drummond-Gehrig, director de Investigación y Ventas de Imagen Digital, biblioteca Denver Public Library.

Susan Marie Frontczak, portavoz Chautauqua de la organización Colorado Humanities y orientadora del programa Young Chautauqua.

Tony Garcia, director artístico ejecutivo de El Centro Su Teatro y Rodolfo "Corky" Gonzales, experto.

Melissa Gurney, Museos de la Ciudad de Greeley, centro de investigación Hazel E. Johnson Research Center.

Jim Havey, Productor/Fotógrafo, Havey Productions, Denver, Colorado.

Josephine Jones, directora de programas, organización Colorado Humanities.

Jim Kroll, director, Departamento de Genealogía e Historia Occidental, biblioteca Denver Public Library.

Steve Lee, portavoz Chautauqua de la organización Colorado Humanities, y Otto Mears, experto.

April Legg, desarrolladora de programas escolares, centro History Colorado, Programas de Educación y Desarrollo.

Nelson Molina, editor de español y asesor de traducción.

Terry Nelson, director de Recursos Comunitarios y Colecciones Especiales, biblioteca Blair-Caldwell African American Research Library, y Fannie Mae Duncan, experta.

Jessy Randall, curadora de Colecciones Especiales, Colorado College, Colorado Springs, Colorado.

Elma Ruiz, coordinadora de Estudios Sociales K–5, Escuelas Públicas de Denver, 2005–2009.

Keith Schrum, curador de libros y manuscritos, biblioteca y centro de investigación Stephen H. Hart Library and Research Center, centro History Colorado.

William Thomas, biblioteca Pikes Peak Library District.

Danny Walker, bibliotecario principal, biblioteca Blair-Caldwell African American Research Library.

Dr. William Wei, profesor de Historia, Universidad de Colorado, Boulder, y Chin Lin Sou, experto.

Acerca de la autora

Janet Taggart nació en Denver, pero ha vivido tanto en el este como en el oeste de los Estados Unidos. Su pasión por los idiomas y las culturas la llevó a pasar períodos de trabajo, estudio y viajes en Europa, México y América Central. Ella y su esposo tienen dos hijos y una hija, ya adultos. Janet da clases a estudiantes de primaria de escuelas públicas e independientes de la zona de Denver desde hace más de veinte años. Actualmente es maestra de los recién llegados al primer grado en la Academia Place Bridge, una de las escuelas de las Escuela Pública de Denver. Gracias a sus estudiantes, ha aprendido mucho sobre nuevas culturas y sobre la rica historia de diversos lugares del mundo.

Chin Lin Sou

Chinese-American Leader

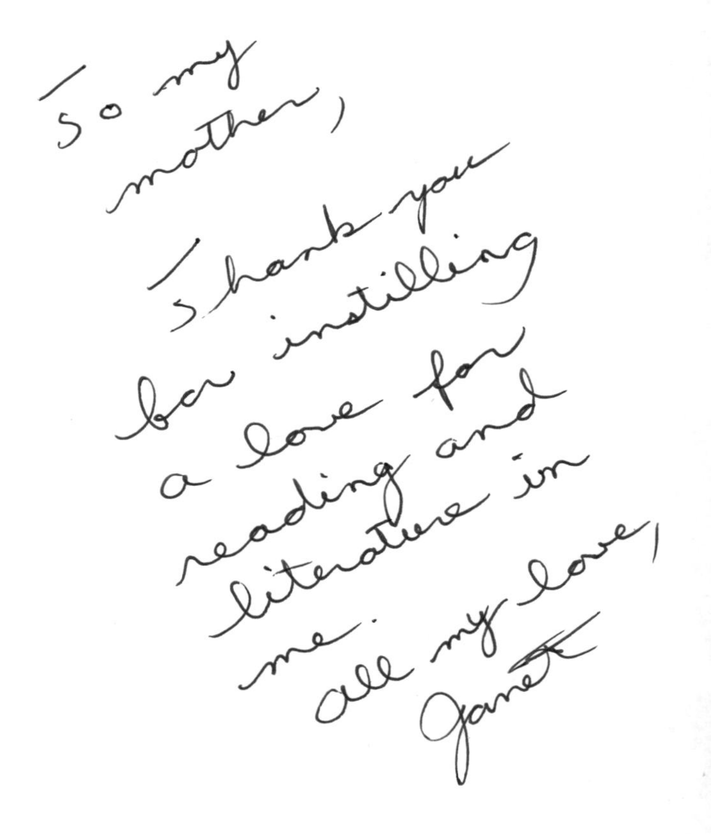

To my mother,

Thank you for instilling a love for reading and literature in me.

All my love,

Janet

Chin Lin Sou

Chinese-American Leader

by Janet L. Taggart

Filter Press, LLC
Palmer Lake, Colorado

Chin Lin Sou

by Janet L. Taggart

To my family for their support and to the students of Place Bridge Academy for inspiring me to write about a newcomer's journey to success in Colorado and America.

ISBN: 978-0-86541-155-5
LCCN: 2013946932

Produced with the support of Colorado Humanities and the National Endowment for the Humanities. Any views, findings, conclusions, or recommendations expressed in this publication do not necessarily represent those of the National Endowment for the Humanities or Colorado Humanities.

Cover photo courtesy, History Colorado 10028088

Printed in the United States of America

Published by Filter Press, LLC, in cooperation with Denver Public Schools and Colorado Humanities

Great Lives in Colorado History

Augusta Tabor by Diane Major
Barney Ford by Jamie Trumbull
Benjamin Lindsey by Gretchen Allgeier
Bill Hosokawa by Steve Walsh
Charles Boettcher by Grace Zirkelbach
Chief Ouray by Steve Walsh
Chin Lin Sou by Janet Taggert
Clara Brown by Suzanne Frachetti
Doc Susie by Penny Cunningham
Elbridge Gerry by Jennifer L. Buck
Emily Griffith by Emily C. Post
Enos Mills by Steve Walsh
Fannie Mae Duncan by Angela Dire
Felipe and Dolores Baca by E. E. Duncan
Florence Sabin by Stacey Simmons
Frances Wisebart Jacobs by Martha Biery
Hazel Schmoll by Penny Cunningham
Helen Hunt Jackson by E. E. Duncan
Kate Slaughterback by Lindsay McNatt
Katharine Lee Bates by Monique Cooper-Sload
John Dyer by Jane A. Eaton
John Routt by Rhonda Rau
John Wesley Powell by Suzanne Curtis
Josephine Aspinwall Roche by Martha Biery
Justina Ford by K. A. Anadiotis
Little Raven by Cat DeRose
Otto Mears by Grace Zirkelbach
Ralph Carr by E. E. Duncan
Richard Russell by Christine Winn
Robert Speer by Stacy Turnbull
Rodolfo "Corky" Gonzales by Jorge-Ayn Riley
William Bent by Cheryl Beckwith
Zebulon Montgomery Pike by Steve Walsh

Contents

Courtesy History Colorado, 10028088

Chin Lin Sou was born in China in 1836 and died in Denver in 1894.

Introduction

Imagine leaving home, family, and friends to travel thousands of miles to live in a new country. The people in the new country speak a different language. They wear different clothes. Their food is different. Imagine being alone in this new place. This is what Chin Lin Sou did.

In 1859 Chin Lin Sou left his home in Canton (Guangzhou), China, to come to the United States of America. He was 22 years old. He spoke Chinese and learned to speak English. He helped to build railroads across high mountains. He worked in the gold mines of Colorado. Chin Lin Sou was also a successful businessman, and he helped other Chinese people come to the United States and find work. He was a leader of the Chinese community in Colorado and Denver.

Building Railroads

Many Chinese people came to the United States in the 1850s. They came for many reasons. Some wanted to get away from wars in China. Some came because they could not find a job in China and many people there were poor and hungry. Some came because they heard about the discovery of gold in California.

Chin Lin Sou came across the Pacific Ocean to San Francisco on a crowded ship. The trip was difficult. It took two months to cross the ocean. The food was not good, and it was hard to find water that was safe to drink. In California, Chin Lin Sou and the other Chinese **immigrants** needed to find jobs. Many found work helping to build the **transcontinental railroad**.

When Chin Lin Sou came to the United States in 1859, travel across the United States

took five or six months, and it was expensive. The cost of getting from one coast to the other was $1,000. The United States government wanted to make it easier and faster to travel. They decided to hire two companies to build a railroad across the country. The Union Pacific Railroad Company started building from the East. The Central Pacific Company started building from the West. Building the 1,700 miles of railroad tracks across the country would be an enormous job. It would take thousands of workers. The tracks from the West would go over the high peaks of the Sierra Nevada mountains. The railroad company decided to hire the Chinese men who were looking for work. When the railroad was complete, the trip across the country took five days. The cost was $150.

Chin Lin Sou worked on the transcontinental railroad. The Central Pacific hired him to be the boss of many Chinese **laborers**. He was more than six feet tall. Most men at this

Courtesy DPL, Western History Collection, Z-3335

Chinese railroad workers and their white supervisor working on the Union Pacific Railroad. The Union Pacific built railroad tracks westward from Nebraska for the transcontinental railroad.

time were much shorter, and Chinese men were often shorter than white men. His eyes were blue-gray. Chinese people usually have dark eyes. Chin Lin Sou's height and eye color made people notice him. People also noticed him because he could speak Chinese and

English. The men in charge told Chin Lin Sou in English what the Chinese workers needed to do. Then, he told the laborers what to do in Chinese.

The laborers worked hard. Sometimes they used hammers and axes to break up the mountain rocks and carried the dirt and rocks away in baskets. Other times, the Chinese used dynamite to blast away the rock. Imagine this. The workers put one man in a basket. They lowered him down the side of a mountain with ropes. The man pounded a hole in the rock with his hammer. He put dynamite in the hole and lit it. Then he yelled, "Pull me up!" He had to get away before the dynamite exploded. This happened many times to break the rock apart. After the explosion, the workers carried the rock away and made flat railroad tracks.

In the winter, Chin Lin Sou and his men worked in tunnels that were covered in giant snowdrifts. They lived in these tunnels,

Courtesy History Colorado, 10026459

The sluice box was used for dredge mining and had a trap door to let the dirt and water through.

too. They worked for 12 hours each day in all seasons. The railroad company paid the Chinese men about $30 a month. The workers had to buy their own food and tents. This pay was less than what white workers earned. The railroad also paid for the white laborers' food and tents. Still, the Chinese saved money and were able to send some money to their families in China.

Chin Lin Sou and the Chinese laborers helped complete the transcontinental railroad. **Historians** say it could not have been built without their labor. When the tracks from the

East joined the tracks from the West in Utah in 1869, the railroad was finished. Chin Lin Sou needed another job. He came to Colorado and helped build tracks connecting Colorado railroads to the transcontinental railroad in Wyoming. This was the last time he worked on the railroads.

Working in Mines

In 1859 **miners** found gold in the Colorado mountains. Mine owners needed workers to get the gold out of the mountain rocks, rivers, and streams. In 1870 lawmakers and miners in Colorado asked the Chinese to

Courtesy History Colorado, 10028086

Two miners work at placer mining. Look at how the Chinese miner on the left is dressed. How is he different from the other miner?

stay and work in the state. People knew about their work on the railroads. The Chinese worked hard. They also worked for less money than white workers. Chin Lin Sou decided to stay in Colorado. The mine owners made him the boss of workers in the gold mines. Chin Lin Sou brought more Chinese laborers to Colorado. He was the leader of as many as 300 mine workers.

Chin Lin Sou and the laborers worked at **placer mining** 10 hours a day, six days a week, and six to 10 hours on Sundays. The Chinese were hired to get gold out of streams. **Erosion** caused some of the gold in the mountains to break into small pieces. These small pieces of gold washed into streams and rivers. The gold mixed with sand and dirt and fell to the bottom of the stream. To find the gold, the Chinese shoveled dirt and water into boxes. A trapdoor in the box let the water and sand wash out of the box. The heavy gold stayed in the bottom of the box.

The Chinese miners worked in cold water with shovels and buckets to find the gold in mountain streams for the mine owners. They earned about $40 a month for this difficult work. The workers bought their own food and paid for a place to live. The white miners earned more money. They did not have to pay for food and a house.

Some white miners did not get along with the Chinese miners, perhaps because the Chinese looked different. Their eyes were a

Courtesy DPL, Western History Collection, X-21660

Chinese men photographed in the mining town of Georgetown, Colorado, sometime between 1890 and 1910. Why do you think no women are in the picture?

different shape. They did not have the same skin color as the white people. Chinese men wore their hair in a long braid that hung down their backs. The Chinese miners wore the same kind of clothes all year. They had wide cotton pants and long shirts that closed with loops. They wore big umbrella-shaped hats. Most did not speak English. They lived together in their own area of the mining towns. Few Chinese miners had families in America. Many wanted to save money and go back to China. The Chinese miners only bought supplies that did not cost much money. Most of their supplies came from China. American store owners in the mining towns wanted the Chinese to buy from them. The white people called them names and sometimes stole from them. A few whites would even cut off the men's braids or hit them.

Chin Lin Sou worked hard to get along with the white miners. He spoke English well

and dressed like the white miners. He used his friendships with the white people to make sure the Chinese miners were treated fairly.

Chin Lin Sou and the Chinese miners could not own mines, but they could **lease** them. They paid the mine owner so they could work in the mine and keep the gold they found and sell it. Chin Lin Sou leased several mines and hired Chinese workers. When they found gold, he made money and leased more mines.

Community Leader

Chin Lin Sou used the money he made to bring his wife from China to Colorado and to start a business in Denver. He sold supplies from China to the Chinese immigrants in Colorado.

In China people lived in villages or small farming towns. Their families were very important to them. The most important people in the villages were the **scholars** and the men who owned land. These important people were like fathers to other villagers. They protected the people and helped them find jobs. They took care of them when they were sick.

The Chinese in America did not have their families or village leaders to protect them. Chin Lin Sou had businesses and money, and he spoke English. He became a leader of the Chinese in Colorado. Other Chinese men

who had successful businesses were leaders of the Chinese in other parts of America.

These Chinese leaders started groups called companies to take care of the immigrants. These companies started in San Francisco. They spread to Chinese mining and railroad communities across the United States. The companies helped Chinese workers find jobs. They spoke out for the fair treatment of Chinese workers. Chin Lin Sou was part of one of these companies.

The Chinese lived in neighborhoods called Chinatowns. When Chin Lin Sou lived in Denver, it had one of the largest Chinatowns in the United States. Chin Lin Sou worked with the companies in California to help the Chinese people in Colorado and the United States. Chin Lin Sou was considered the mayor of Chinatown.

Chin Lin Sou was an honest man. The white people knew this. A fire in Central City once destroyed many buildings. The white

Courtesy DPL, Western History Collection, X-7502

Chinese immigrants were not allowed to own many businesses. They were allowed to run laundries, such as this one in Colorado City.

people said the Chinese miners started the fire. Chin Lin Sou knew this was not true. He told the newspaper that the Chinese miners did not start the fire. The white people respected Chin Lin Sou. They believed him when he said the Chinese miners were not responsible.

Not all the problems of the Chinese were so easily solved. White Americans thought the Chinese took their jobs. They also did not understand the Chinese religion. They called the Chinese **heathens**. These bad feelings led to a **riot** in Denver in 1880. A fight started between white and Chinese men in Chinatown. Thousands of white men rushed into Chinatown. They broke windows and doors. They stole things from Chinese businesses. They took Chinese people from their stores and homes and kicked and hit them. Two men killed a Chinese man.

Many other people in the United States **discriminated** against the Chinese. The U.S. government made a new law in 1882. It said

that Chinese people could not be American **citizens** and that no more Chinese people could come to the United States. Chin Lin Sou was an American citizen, but this law took his citizenship away.

Many Chinese men went back to their families in China. Chin Lin Sou stayed in Colorado. He sold supplies. He managed

Courtesy, DPL Western History Collection, X-21496

A funeral parade in Denver's Chinatown photographed around the time that Chin Lin Sou died. His funeral parade might have looked like this one.

his gold mines. He worked with white businessmen and made friends. His success helped the Chinese in Colorado.

Chin Lin Sou died in 1894. Many people, both white and Chinese, came to his funeral parade. People carried the Chinese and U.S. flags in the parade.

Family Man

Most Chinese men in the United States did not have wives or children. They returned to China to marry and have families. Chin Lin Sou was different. He had the first Chinese-American family in Colorado. After many years apart, Chin Lin Sou's wife came to Colorado from China. Their daughter, Lily, was born in 1873. She was the first Chinese child born in Colorado. Chin Lin Sou and his wife had five more children. They were all American citizens, because they were born in the United States. The laws that took citizenship away from the Chinese people who had not been born in this country did not apply to Chin Lin Sou's children.

His children became leaders of the Chinese community, too. Lily married in 1894. Her wedding dress had five-dollar gold pieces on it, and she wore a gold nugget necklace.

GRAND-DAUGHTER
RUTH CHIN

Chinese Gave Much To Denver

49—ROCKY MOUNTAIN NEWS— Denver, Colo, Friday, May 8, 1953

By JACK FOSTER

AN ITEM in the paper a couple of days ago brought back memories of Chinese life during the early days of Colorado.

The item referred to **Pfc. William Jung Jr.**, who had just been commended for meritorious service while assigned to an artillery unit in Korea.

Pfc. Jung is the grandson of **Jimmy Chin**, who was known as "the mayor of Chinatown" when there were several hundred Chinese in Denver and life centered in what was called "Hop Alley" down on Market st.

It was a gaily lighted district then with little restaurants, shops where ivory and jade figures and other wonders of the Orient were sold, and tea houses with dragon lanterns.

The Chinese had come to Colorado to work largely in the mines and on the railroads. And Jimmy Chin's father, **Chin Lin-sou**, had followed the rails to Denver.

He was Cantonese by birth. He was an enormous man — six feet two, with b l u e eyes, a rarity among the Cantonese.

* * *

CHIN LIN-SOU had been foreman of a crew that had completed the railroad link between the famous Truckee, Nev., and the coast before coming to Colorado to work the mines at Central City.

When the mines played out, with that versatile industriousness of the Chinese, he turned to farming and eventually he died following a sickness on his little plot at Platteville.

And "Mayor" Jimmy Chin became head of the House of Chin — a fact that is slyly accepted by his four p r e t t y daughters, Esther, Ruth, Mamie and Mildred.

Thousands of Denver gourmets know Ruth, the ever-so-youthful looking mother of Pfc. William Jung. She shows diners to their steaming dishes of birds nest soup and shrimp with lobster sauce at the Lotus Room.

And thousands more know Esther, who is married to **Frank Fong**, the divinely inspired chef at the Lotus Room. In one of her slender Chinese gowns, which she has made in San Francisco, she translates the wishes of guests into a joyous hour of dining, while her mother, the matriarch, **Mrs. Chin**, peers out from behind the cash register.

It's a pity that most of the early Chinese in Colorado have left for San Francisco, Chicago and New York. For they made some of our finest citizens and most courteous neighbors.

* * *

FAMILY OF CHIN LIN SOU and GRAND-CHILDREN.

Courtesy History Colorado, 30001371

In 1953 the Rocky Mountain News *used a photograph of Chin Lin Sou's children and grandchildren in an article about Chinese Americans in Colorado. The article states, "They made some of our finest citizens and most courteous neighbors."*

Governor Albert McIntire and the mayor of Denver came to her wedding. After her father died, she was called the "Queen of Chinatown."

Chin Lin Sou's sons, James and William, also owned businesses. They became mayors of Denver's Chinatown. Two of Chin Lin Sou's granddaughters owned Denver restaurants. One great-granddaughter became Denver's first Chinese-American policewoman. Chin Lin Sou's grandsons fought in **World War II**. After the war, Chinese people suffered less discrimination. They were allowed to live outside of Chinatowns. Today Coors Field, where the Colorado Rockies baseball team plays, stands where Denver's Chinatown was once located. Chinese Americans, including some of Chin Lin Sou's **descendants**, live throughout Colorado.

Chin Lin Sou's Legacy

Coloradans have not forgotten Chin Lin Sou. A stained glass portrait of him hangs in the state **capitol**. His picture is in a painting of Colorado **pioneers** at the Colorado Convention Center in Denver. A sign near the former mining towns of Central City and Black Hawk tells about the Chinese in Colorado and their leader, Chin Lin Sou. A chair at the opera house in Central City has his name on it.

Chin Lin Sou was an important part of Colorado history. He came to the United States from China without a family or money. He was intelligent and hard working. He became successful. He helped build railroads that made travel easier and kept America growing. He found gold in Colorado mines. He owned businesses and found jobs for Chinese immigrants in the United States. He

asked people to treat Chinese immigrants fairly. He worked with white Americans, and they respected him. Even though it was not easy to be a Chinese-American man in Colorado, Chin Lin Sou stayed and made a home for his family. His children became leaders in the Chinese-American community. His descendants are part of many communities in the United States today.

Questions to Think About

- Chin Lin Sou had many jobs. What were they? Why was he successful at what he did?

- In what ways was Chin Lin Sou like other Chinese immigrants? How was he different?

- What qualities made Chin Lin Sou a leader?

Questions for Young Chautauquans

- Why am I (or should I be) remembered in history?

- What hardships did I face, and how did I overcome them?

- What is my historical context (what else was going on in my time)?

Glossary

Capitol: the building where lawmakers meet.

Citizens: people who live in cities, towns, states, or countries and who have the rights and protection of that place.

Descendants: families who are related to particular individuals in the past.

Discriminated: treated others unfairly because of their race or something else about them that they cannot change.

Erosion: the gradual wearing away of Earth's surface by natural forces, such as water, wind, or ice.

Heathens: people who do not belong to a widely held religion, especially people who are not Christian, Jewish, or Muslim.

Historians: people who study or write about history.

Immigrants: people who leave one country to settle in another country.

Laborers: people who do hard physical work for money.

Lease: a legal contract that states a person will pay rent to use another person's property.

Miners: people who search for and take minerals, such as gold or silver, out of the ground.

Pioneers: first people from other countries or regions to explore or settle new areas.

Placer mining: a way to get gold or other minerals out of dirt and rocks by washing water over the dirt and rocks.

Riot: a large group of people behaving in a violent way.

Scholars: well-educated or knowledgeable people.

Transcontinental railroad: a train route across the United States built by two railroad companies, the Union Pacific and the Central Pacific, and completed in 1869. Most of the Central Pacific laborers were Chinese.

World War II: a war that lasted from 1939 to 1945. The United States, Great Britain, France, and the Soviet Union fought against Japan, Germany, and Italy.

Timeline

1836
Chin Lin Sou was born in China.

1850
News of the gold discovery in California reached China. Chinese men began immigrating to California.

1859
Chin Lin Sou left China and came to San Francisco.

1861
Colorado became a territory of the United States.

1861–1865
The American Civil War was fought.

1863
Construction began on the transcontinental railroad. Chin Lin Sou worked building rails from California to Utah.

1869
Transcontinental railroad was completed. Chin Lin Sou moved to Denver.

Timeline

Early 1870s
Chin Lin Sou began supervising Chinese miners in Colorado. His wife came from China.

1873
Daughter Lily was born. She was the first Chinese child born in Colorado.

1876
Colorado became the 38th state.

Mid-1870s–1880s
Chin Lin Sou leased mines and started businesses. He bought a home in Denver's Chinatown.

1880
A riot against the Chinese in Denver destroyed Chinese businesses and injured people.

1882
U.S. government passed a law that took away Chinese people's rights in America.

1894
Chin Lin Sou died in Denver.

Bibliography

America's Byways: Peak to Peak. "Wayside Excursion: The Chinese in the West." Accessed July 10, 2012. http://www.rmpbs.org/byways/ptp_chinese.html.

Anton, Mike. "The Miners/Chin Lin Sou." *Rocky Mountain News*, January 3, 1999. http://0-infoweb.newsbank.com.skyline.ucdenver.edu/iw-search/we/Info Web.

Barth, Gunther. *Bitter Strength: A History of Chinese in the United States, 1850–1870.* Cambridge, Massachusetts: Harvard University Press, 1964.

Digital History. "Chinese Exclusion Act." Accessed July 10, 2012. http://www.digitalhistory.uh.edu.

Digital History. "Chinese Immigrants and the Building of the Transcontinental Railroad." Accessed July 10, 2012. http://www.digitalhistory.uh.edu/historyonline/china1.cfm.

Dirlik, Arif. *Chinese on the American Frontier.* Lanham, Maryland: Rowman and Littlefield Publishers Inc., 2001.

Jung, William. *Biography of Chin Lin Sou.* 1990. Chin Lin Sou Collection (MSS #113), History Colorado, Denver.

Lai, H. Mark. *Becoming Chinese American: A History of Communities and Institutions.* Walnut Creek, California: AltaMira, 2004.

Library of Congress. "The Chinese in California, 1850–1925." Accessed July 13, 2012. http://www.loc.gov/teachers/classroommaterials/connections/chinese-cal/history3.html.

Melrose, Frances. "Chinese Leader Stood Tall in Colorado." *Rocky Mountain News,* April 18, 1999. http://0-infoweb.newsbank.com.skyline.ucdenver.edu.

PBS: American Experience. "Workers of the Central Pacific Railroad." Accessed July 10, 2012. http://www.pbs.org/wgbh/americanexperience/features/general-article/tcrr-cprr.

Tong, Benson. *The Chinese Americans.* Boulder: University Press of Colorado, 2003.

Toto, Christian. "Remembering When Denver Had a Chinatown." *Denver Post*, May 7, 2011. http://www.denverpost.com/insideandout/ci_18011216.

Wei, William. "History and Memory: The Story of Denver's Chinatown." *Colorado Heritage Magazine,* Autumn 2002.

Wishart, David J. "Sou, Chin Lin." *Encyclopedia of the Great Plains.* Accessed July 10, 2012. http://plainshumanities.unl.edu/encyclopedia/doc/egp.asam.020.

Index

About This Series

In 2008 Colorado Humanities and Denver Public Schools' Social Studies Department began a partnership to bring Colorado Humanities' Young Chautauqua program to DPS and to create a series of biographies of Colorado historical figures written by teachers for young readers. The project was called Writing Biographies for Young People. Filter Press joined the effort to publish the biographies in 2010 under the series title Great Lives in Colorado History.

The volunteer teacher-writers committed to research and write the biography of a historic figure of their choice. The teacher-writers learned from Colorado Humanities Young Chautauqua speakers and authors and participated in a four-day workshop that included touring three major libraries in Denver: The Stephen H. Hart Library and Research Center at History Colorado, the Western History and Genealogy Department in the Denver Public Library, and the Blair-Caldwell African American Research Library. To write the biographies, they used the same skills expected of students: identify and locate reliable sources for research, document those sources, and choose appropriate information from the resources.

The teachers' efforts resulted in the publication of thirteen biographies in 2011 and twenty in 2013. With access to the full classroom set of age-appropriate biographies, students will be able to read and research on their own, learning valuable

research and writing skills at a young age. As they read each biography, students will gain knowledge and appreciation of the struggles and hardships overcome by people from our past, the time period in which they lived, and why they should be remembered in history.

Knowledge is power. The Great Lives in Colorado History biographies will help Colorado students know the excitement of learning history through the life stories of heroes.

Information about the series can be obtained from any of the three partners:

Filter Press at www.FilterPressBooks.com
Colorado Humanities at www.ColoradoHumanities.org
Denver Public Schools at curriculum.dpsk12.org

Acknowledgments

Colorado Humanities and Denver Public Schools acknowledge the many contributors to the Great Lives in Colorado History series. Among them are the following:

The teachers who accepted the challenge of writing the biographies

Dr. Jeanne Abrams, Director of the Rocky Mountain Jewish Historical Society and Frances Wisebart Jacobs subject expert

Paul Andrews and Nancy Humphry, Felipe and Dolores Baca subject experts

Dr. Anne Bell, Director, Teaching with Primary Sources, University of Northern Colorado

Analía Bernardi, Spanish Translator, Denver Public Schools

Mary Jane Bradbury, Colorado Humanities Chautauqua speaker and Augusta Tabor subject expert

Joel' Bradley, Project Coordinator, Denver Public Schools

Sue Breeze, Colorado Humanities Chautuaqua speaker and Katharine Lee Bates subject expert

Betty Jo Brenner, Program Coordinator, Colorado Humanities

Tim Brenner, editor

Margaret Coval, Executive Director, Colorado Humanities

Michelle Delgado, Elementary Social Studies Coordinator, Denver Public Schools

Jennifer Dewey, Reference Librarian, Denver Public Library, Western History Genealogy Department

Jen Dibbern and Laura Ruttum Senturia, Stephen H. Hart Library and Research Center, History Colorado

Coi Drummond-Gehrig, Digital Image Sales and Research Manager, Denver Public Library

Susan Marie Frontczak, Colorado Humanities Chautauqua speaker and Young Chautauqua coach

Tony Garcia, Executive Artistic Director of El Centro Su Teatro and Rodolfo "Corky" Gonzales subject expert

Melissa Gurney, City of Greeley Museums, Hazel E. Johnson Research Center

Jim Havey, Producer/Photographer, Havey Productions, Denver, Colorado

Josephine Jones, Director of Programs, Colorado Humanities

Jim Kroll, Manager, Western History and Genealogy Department, Denver Public Library

Steve Lee, Colorado Humanities Chautauqua speaker and Otto Mears subject expert

April Legg, School Program Developer, History Colorado, Education and Development Programs

Nelson Molina, Spanish language editor and translation consultant

Terry Nelson, Special Collection and Community Resource Manager, Blair-Caldwell African American Research Library and Fannie Mae Duncan subject expert

Jessy Randall, Curator of Special Collections, Colorado College, Colorado Springs, Colorado

Elma Ruiz, K–5 Social Studies Coordinator, Denver Public Schools, 2005–2009

Keith Schrum, Curator of Books and Manuscripts, Stephen H. Hart Library and Research Center, History Colorado

William Thomas, Pike Peak Library District

Danny Walker, Senior Librarian, Blair-Caldwell African American Research Library

Dr. William Wei, Professor of History, University of Colorado, Boulder, and Chin Lin Sou subject expert

About the Author

Janet Taggart was born in Denver but has lived in both the eastern and western United States. Her love of languages and cultures led her to periods of work, study, and travel in Europe, Mexico, and Central America. She and her husband have three adult children, two sons and a daughter. Janet has taught elementary students in Denver area independent and public schools for more than 20 years. She currently teaches first-grade newcomers at Place Bridge Academy, a Denver Public School. Janet's students have taught her about new cultures and the rich histories of many parts of the world.

Acerca de la autora